Bilingual Ballet Stories: Magical Tales in English and Portuguese

Teakle

Published by Teakle, 2023.

While every precaution has been taken in the preparation of this book, the publisher assumes no responsibility for errors or omissions, or for damages resulting from the use of the information contained herein.

BILINGUAL BALLET STORIES: MAGICAL TALES IN ENGLISH AND PORTUGUESE

First edition. July 9, 2023.

ISBN: 979-8223984115

Written by Teakle.

Table of Contents

O Mistério do Tutu Encantado
The Mystery of the Enchanted Tutu

———

———————

Era uma vez, num reino encantado, uma pequena bailarina chamada Sofia. Ela amava a dança mais do que qualquer outra coisa no mundo. Todos os dias, após terminar suas tarefas, Sofia corria para sua pequena sala de dança no sótão da casa. Lá, ela se transformava em uma graciosa bailarina, saltando e rodopiando com seu tutu cor-de-rosa.

Once upon a time, in an enchanted kingdom, there was a little ballerina named Sofia. She loved dancing more than anything else in the world. Every day, after finishing her chores, Sofia would rush to her little dance room in the attic of her house. There, she transformed into a graceful dancer, leaping and twirling in her pink tutu.

Certa tarde, quando Sofia chegou à sua sala de dança, encontrou um tutu diferente pendurado em seu cabide. Era feito de um tecido brilhante e cintilante, com cores que pareciam mudar conforme a luz incidia sobre ele. Curiosa, Sofia vestiu o tutu mágico e, de repente, sentiu uma força misteriosa ao seu redor. Num piscar de olhos, ela foi levada para uma floresta encantada.

One afternoon, when Sofia arrived in her dance room, she found a different tutu hanging on her hanger. It was made of a shiny, shimmering fabric with colors that seemed to change as the light touched it. Curious, Sofia put on the magical tutu, and suddenly, she felt a mysterious power around her. In the blink of an eye, she was transported to an enchanted forest.

A floresta era como um cenário de um sonho. Árvores altas se curvavam em arcos graciosos, e as flores dançavam suavemente com a brisa. No coração da floresta, Sofia viu outras bailarinas mágicas, cada uma usando um tutu tão encantador quanto o seu. Elas a receberam calorosamente e a convidaram para dançar junto com elas.

The forest was like a scene from a dream. Tall trees arched gracefully, and the flowers swayed gently in the breeze. In the heart of the forest, Sofia saw other magical ballerinas, each wearing a tutu as enchanting as hers. They welcomed her warmly and invited her to dance along with them.

Enquanto dançava com suas novas amigas, Sofia sentiu uma alegria indescritível. Ela pulava mais alto do que nunca, e seus passos fluíam com uma graça sobrenatural. As outras bailarinas sussurraram a ela que o tutu que ela usava era o Tutu Encantado, e quem o usasse poderia experimentar a verdadeira magia da dança.

While dancing with her new friends, Sofia felt an indescribable joy. She leaped higher than ever, and her steps flowed with supernatural grace. The other ballerinas whispered to her that the tutu she was wearing was the Enchanted Tutu, and whoever wore it could experience the true magic of dance.

Depois de um dia de dança divertida e mágica, Sofia voltou para casa, levando consigo o Tutu Encantado. Ela sabia que tinha descoberto algo especial e queria compartilhar sua alegria com todos. No dia seguinte, Sofia convidou suas amigas do bairro para uma apresentação especial em sua sala de dança.

After a day of fun and magical dancing, Sofia returned home, carrying the Enchanted Tutu with her. She knew she had discovered something special and wanted to share her joy with everyone. The next day, Sofia invited her neighborhood friends for a special performance in her dance room.

As amigas de Sofia ficaram maravilhadas ao ver sua dança encantadora. Cada uma delas queria experimentar o Tutu Encantado e sentir a mágica que ele trazia. Uma por uma, elas colocaram o tutu e começaram a dançar. A sala de dança se encheu de risos, música e movimentos graciosos.

Sofia's friends were amazed to see her enchanting dance. Each one of them wanted to try the Enchanted Tutu and feel the magic it brought. One by one, they put on the tutu and began to dance. The dance room filled with laughter, music, and graceful movements.

Desde aquele dia, a sala de dança de Sofia se tornou um lugar especial onde as meninas se reuniam para dançar e se divertir juntas. O Tutu Encantado trouxe alegria e amizade para suas vidas, e elas nunca mais se esqueceriam da magia que encontraram na dança.

From that day on, Sofia's dance room became a special place where the girls gathered to dance and have fun together. The Enchanted

Tutu brought joy and friendship into their lives, and they would never forget the magic they found in dance.

E assim, Sofia e suas amigas bailarinas continuaram a espalhar alegria e encanto por onde passavam, sempre lembrando-se do poder da amizade e da dança. E assim, a história do Tutu Encantado foi passada de geração em geração, inspirando muitas outras meninas a seguirem seus sonhos de bailarina.

And so, Sofia and her ballerina friends continued to spread joy and enchantment wherever they went, always remembering the power of friendship and dance. And thus, the story of the Enchanted Tutu was passed down from generation to generation, inspiring many other girls to follow their dreams of becoming dancers.

A Bailarina das Estrelas
The Star Ballerina

———

————————

Era uma vez uma linda menina chamada Ana. Ela era apaixonada por dança desde muito pequena e sonhava em se tornar uma bailarina famosa. Ana dançava pela casa, imitando movimentos graciosos e elegantes, imaginando-se nos palcos diante de uma plateia encantada.

Once upon a time, there was a beautiful girl named Ana. She had been passionate about dance since she was very young and dreamed of becoming a famous ballerina. Ana would dance around the house, imitating graceful and elegant movements, imagining herself on stage in front of an enchanted audience.

Um dia, Ana descobriu um cartaz anunciando uma audição para uma prestigiosa escola de ballet. Seu coração se encheu de empolgação e determinação. Ela sabia que era a oportunidade perfeita para mostrar seu talento e seguir seu sonho. Sem hesitar, Ana se inscreveu para a audição e começou a se preparar intensamente.

One day, Ana discovered a poster announcing an audition for a prestigious ballet school. Her heart filled with excitement and determination. She knew it was the perfect opportunity to showcase her talent and pursue her dream. Without hesitation, Ana registered for the audition and began preparing intensely.

Os dias se passaram e finalmente chegou o grande dia da audição. O palco estava iluminado, e Ana sentia o frio na barriga misturado com a alegria de realizar seu sonho. Quando sua vez chegou, ela entrou no palco com confiança e começou a dançar como se estivesse flutuando entre as estrelas.

The days went by, and finally, the big day of the audition arrived. The stage was lit, and Ana felt a mix of butterflies in her stomach and the joy of fulfilling her dream. When her turn came, she stepped onto the stage with confidence and began to dance as if she were floating among the stars.

Cada movimento de Ana era gracioso e cativante, como se estivesse contando uma história com seu corpo. Sua paixão pela dança brilhava em cada passo, e seu sorriso irradiava felicidade. O público ficou maravilhado com sua performance e aplaudiu calorosamente quando ela terminou.

Every movement Ana made was graceful and captivating, as if she were telling a story with her body. Her passion for dance shone in every step, and her smile radiated happiness. The audience was amazed by her performance and applauded warmly when she finished.

Algumas semanas depois, Ana recebeu uma carta que mudaria sua vida. Ela havia sido aceita na escola de ballet dos seus sonhos! Seus olhos brilharam de emoção ao ler a notícia. Ana sabia que essa era a oportunidade que tanto esperava, uma chance de aprimorar suas habilidades e dançar ao lado de bailarinas talentosas.

A few weeks later, Ana received a letter that would change her life. She had been accepted into the ballet school of her dreams! Her eyes sparkled with excitement as she read the news. Ana knew that this was the opportunity she had been waiting for, a chance to hone her skills and dance alongside talented ballerinas.

Com muito entusiasmo, Ana embarcou em sua jornada na escola de ballet. Ela trabalhou duro, aprendendo novos passos e técnicas, desafiando-se a alcançar novos patamares de excelência. A cada aula, a cada ensaio, Ana sentia-se mais próxima de seu sonho de se tornar uma bailarina das estrelas.

With great enthusiasm, Ana embarked on her journey at the ballet school. She worked hard, learning new steps and techniques, challenging herself to reach new levels of excellence. With each class, each rehearsal, Ana felt closer to her dream of becoming a star ballerina.

Anos se passaram, e Ana finalmente teve a oportunidade de se apresentar no grande palco. A plateia estava repleta de pessoas ansiosas para ver sua incrível performance. O momento chegou, as cortinas se abriram, e Ana dançou como nunca antes. Seus movimentos eram perfeitos, expressando toda a sua paixão e dedicação à dança.

Years went by, and Ana finally had the opportunity to perform on the grand stage. The audience was filled with people eager to witness her incredible performance. The moment arrived, the curtains opened, and Ana danced like never before. Her movements were flawless, expressing all her passion and dedication to dance.

Quando a música parou e as cortinas se fecharam, a plateia irrompeu em aplausos e gritos de admiração. Ana sentiu-se radiante, realizada e grata por ter seguido seu coração e persistido em seu sonho. Ela se tornou a bailarina das estrelas que sempre desejou ser.

When the music stopped and the curtains closed, the audience erupted in applause and shouts of admiration. Ana felt radiant, fulfilled, and grateful for having followed her heart and persevered in her dream. She became the star ballerina she had always longed to be.

E assim, a história de Ana inspirou outras meninas a seguirem seus próprios sonhos. Ela provou que com paixão, determinação e muito trabalho duro, os sonhos podem se tornar realidade. Ana continuou a dançar e espalhar alegria através de sua arte, iluminando o mundo com cada passo gracioso que dava.

And so, Ana's story inspired other girls to pursue their own dreams. She proved that with passion, determination, and hard work, dreams can come true. Ana continued to dance and spread joy through her art, illuminating the world with each graceful step she took.

O Sonho de Sofia
Sofia's Dream

———

————————

Era uma vez uma adorável menina chamada Sofia, que tinha um grande sonho: ser uma bailarina de ballet. Ela amava os movimentos graciosos, a música envolvente e os belos tutus das bailarinas. Desde muito pequena, Sofia imaginava-se dançando no palco, encantando o público com sua leveza e elegância.

Once upon a time, there was a lovely girl named Sofia who had a big dream: to become a ballet dancer. She loved the graceful movements, the enchanting music, and the beautiful tutus of ballerinas. From a very young age, Sofia imagined herself dancing on stage, enchanting the audience with her lightness and elegance.

Todos os dias, Sofia dedicava um tempo para praticar seus passos de ballet. Ela saltava, rodopiava e estendia seus braços, imitando as bailarinas que via nos espetáculos. Apesar de ainda ser pequena, Sofia tinha determinação e perseverança para seguir seu sonho.

Every day, Sofia set aside time to practice her ballet steps. She would leap, twirl, and extend her arms, imitating the dancers she saw in performances. Despite being young, Sofia had determination and perseverance to pursue her dream.

Um dia, Sofia soube de uma audição para uma renomada escola de ballet. Seu coração bateu mais forte de emoção. Ela sabia que essa seria a sua chance de mostrar seu talento e dar um passo mais próximo de seu sonho. Com determinação, Sofia preparou-se para a audição, ensaiando cada passo com dedicação.

One day, Sofia heard about an audition for a renowned ballet school. Her heart raced with excitement. She knew that this would be her chance to showcase her talent and take a step closer to her dream. With determination, Sofia prepared for the audition, rehearsing each step with dedication.

Chegou o dia da audição, e Sofia estava nervosa, mas determinada. Ela entrou na sala de dança e deparou-se com um painel de jurados sérios observando atentamente. Com a música começando a tocar, Sofia esqueceu-se de tudo ao seu redor e deixou seu corpo expressar toda a paixão e alegria que sentia pela dança.

The audition day arrived, and Sofia was nervous but determined. She entered the dance studio and faced a panel of serious judges watching closely. As the music began to play, Sofia forgot about everything around her and let her body express all the passion and joy she felt for dance.

Seus movimentos eram tão fluidos e graciosos que pareciam flutuar no ar. Cada passo, cada salto era executado com perfeição. Quando a música chegou ao fim, Sofia curvou-se, agradecendo aos jurados pela oportunidade. Sua audição foi um verdadeiro espetáculo!

Her movements were so fluid and graceful that they seemed to float in the air. Every step, every leap was executed flawlessly. When the music came to an end, Sofia curtsied, thanking the judges for the opportunity. Her audition was a true spectacle!

Algumas semanas depois, Sofia recebeu uma carta que trazia notícias maravilhosas. Ela havia sido aceita na escola de ballet dos seus sonhos! Sofia pulou de alegria e abraçou seus pais com gratidão. Agora, ela teria a oportunidade de aprimorar suas habilidades, aprender com professores talentosos e compartilhar sua paixão pela dança com outras meninas que também tinham o mesmo sonho.

A few weeks later, Sofia received a letter with wonderful news. She had been accepted into the ballet school of her dreams! Sofia jumped with joy and embraced her parents with gratitude. Now, she would have the opportunity to hone her skills, learn from talented teachers, and share her passion for dance with other girls who also had the same dream.

Na escola de ballet, Sofia mergulhou em um mundo encantado. Ela treinava todos os dias, aperfeiçoando sua técnica e explorando diferentes estilos de dança. As horas de ensaio passavam voando, e Sofia se sentia realizada em cada avanço que conquistava.

In the ballet school, Sofia immersed herself in an enchanted world. She trained every day, refining her technique and exploring different dance styles. The rehearsal hours flew by, and Sofia felt fulfilled with every progress she made.

Chegou o dia tão esperado da apresentação de final de ano. O palco estava iluminado, e a plateia estava ansiosa para ver as bailarinas em ação. Sofia vestiu seu tutu rosa, colocou suas sapatilhas de ballet e subiu no palco com um sorriso radiante no rosto.

The long-awaited day of the end-of-year performance arrived. The stage was lit, and the audience was eager to see the dancers in action. Sofia wore her pink tutu, put on her ballet slippers, and stepped onto the stage with a radiant smile on her face.

Ao som da música suave, Sofia dançou com graciosidade e expressão. Seus movimentos encantaram a plateia, que aplaudia entusiasmada a cada cena. No final da apresentação, Sofia sentiu-se realizada e emocionada. Seu sonho de ser uma bailarina tinha se tornado realidade.

To the sound of gentle music, Sofia danced with grace and expression. Her movements enchanted the audience, who applauded enthusiastically after each scene. At the end of the performance, Sofia felt fulfilled and moved. Her dream of being a ballerina had come true.

Desde então, Sofia continuou a dançar, sempre alimentando sua paixão pela arte do ballet. Ela descobriu que a dança não apenas trazia alegria para si mesma, mas também tocava o coração de quem a assistia. Com cada passo gracioso, Sofia inspirava outras meninas a seguirem seus sonhos e acreditarem no poder dos seus desejos mais profundos.

Since then, Sofia continued to dance, always nurturing her passion for the art of ballet. She discovered that dance not only brought joy to herself but also touched the hearts of those who watched her. With each graceful step, Sofia inspired other girls to pursue their dreams and believe in the power of their deepest desires.

A Bailarina Encantada
The Enchanted Ballerina

———

————————

Era uma vez, em uma pequena cidade, uma menina chamada Isabela que adorava dançar. Seu lugar favorito era o estúdio de ballet, onde passava horas aperfeiçoando seus movimentos e deixando sua imaginação voar. Isabela sonhava em se tornar uma bailarina famosa e encantar o mundo com sua dança.

Once upon a time, in a small town, there was a girl named Isabela who loved to dance. Her favorite place was the ballet studio, where she spent hours perfecting her movements and letting her imagination soar. Isabela dreamed of becoming a famous ballerina and enchanting the world with her dance.

Um dia, enquanto caminhava pelo parque, Isabela encontrou um objeto brilhante no chão. Era uma caixinha de música com um lindo tutu desenhado na tampa. Curiosa, ela a abriu, e para sua surpresa, uma bailarina de porcelana surgiu, dançando suavemente ao som de uma doce melodia.

One day, while walking through the park, Isabela found a shiny object on the ground. It was a music box with a beautiful tutu drawn on the lid. Curious, she opened it, and to her surprise, a porcelain ballerina emerged, dancing gracefully to the sound of a sweet melody.

A bailarina de porcelana era encantadora, e Isabela ficou hipnotizada por sua dança graciosa. Ela imaginou como seria maravilhoso se pudesse dançar como aquela bailarina. Foi então que a mágica aconteceu. A bailarina de porcelana estendeu a mão para Isabela e a convidou para dançar com ela.

The porcelain ballerina was enchanting, and Isabela was mesmerized by her graceful dance. She imagined how wonderful it would be if she could dance like that ballerina. That's when the magic happened. The porcelain ballerina extended her hand to Isabela and invited her to dance with her.

No momento em que Isabela pegou a mão da bailarina de porcelana, ela sentiu uma energia mágica percorrer seu corpo. Seus pés começaram a mover-se como se estivessem flutuando no ar, e ela dançava em perfeita harmonia com a bailarina de porcelana. Os passos fluíam naturalmente, e Isabela sentia como se estivesse em um sonho.

The moment Isabela took the hand of the porcelain ballerina, she felt a magical energy coursing through her body. Her feet started to move as if they were floating in the air, and she danced in perfect harmony with the porcelain ballerina. The steps flowed naturally, and Isabela felt as if she were in a dream.

Os dois dançaram juntos por um longo tempo, girando e rodopiando sob as estrelas. Isabela nunca se sentira tão feliz e realizada. Era como se a bailarina de porcelana fosse sua mentora, ensinando-lhe movimentos que ela nem sabia que poderia fazer.

The two danced together for a long time, spinning and twirling under the stars. Isabela had never felt so happy and fulfilled. It was as if the porcelain ballerina was her mentor, teaching her moves she didn't even know she could do.

Quando a dança chegou ao fim, a bailarina de porcelana deu um sorriso e desapareceu lentamente, voltando para a caixinha de música. Isabela sentiu-se grata por aquele momento mágico e decidiu que nunca desistiria de seu sonho de se tornar uma bailarina.

When the dance came to an end, the porcelain ballerina smiled and slowly disappeared, returning to the music box. Isabela felt grateful for that magical moment and decided she would never give up on her dream of becoming a ballerina.

Isabela continuou a praticar e aperfeiçoar sua dança. Ela se esforçou, superou desafios e, com o tempo, se tornou uma bailarina talentosa. Seu amor pela dança era evidente em cada movimento gracioso que fazia.

Isabela continued to practice and refine her dance. She worked hard, overcame challenges, and over time, became a talented ballerina. Her love for dance was evident in every graceful move she made.

Finalmente, o dia da grande apresentação chegou. Isabela subiu no palco com confiança e se maravilhou ao ver a plateia repleta de pessoas aplaudindo entusiasmadas. Ela dançou com paixão, expressando sua alegria através da música e do movimento.

Finally, the day of the grand performance arrived. Isabela stepped onto the stage with confidence and marveled at the sight of the audience filled with people applauding eagerly. She danced with passion, expressing her joy through music and movement.

No final da apresentação, o público irrompeu em aplausos e gritos de admiração. Isabela curvou-se em agradecimento, com o coração cheio de gratidão e felicidade. Seu sonho de se tornar uma bailarina havia se realizado, e ela sabia que aquele era apenas o começo de uma jornada incrível.

At the end of the performance, the audience erupted in applause and shouts of admiration. Isabela curtsied in gratitude, with her heart full of gratitude and happiness. Her dream of becoming a ballerina had come true, and she knew that was just the beginning of an incredible journey.

A Bailarina da Estrela Brilhante
The Ballerina of the Shining Star

———

————————

Era uma vez uma pequena cidade onde todos os anos, durante a noite mais estrelada do inverno, acontecia um evento mágico. Uma estrela brilhante descia dos céus e se transformava em uma linda bailarina. As crianças da cidade chamavam essa estrela de "Estrela Bailarina" e aguardavam ansiosamente pelo espetáculo.

Once upon a time, in a small town, every year on the most starry night of winter, a magical event occurred. A shining star would descend from the sky and transform into a beautiful ballerina. The children of the town called this star "Ballerina Star" and eagerly awaited the spectacle.

Uma das crianças mais apaixonadas pela dança era uma menina chamada Maria. Ela sonhava em ser uma bailarina como a Estrela Bailarina e dançar com leveza e graciosidade pelo palco. Todas as noites, Maria olhava para o céu, imaginando como seria mágico se pudesse dançar com a estrela.

One of the most passionate children about dance was a girl named Maria. She dreamed of being a ballerina like the Ballerina Star and dancing with lightness and grace on the stage. Every night, Maria looked up at the sky, imagining how magical it would be if she could dance with the star.

Em uma noite especial de inverno, Maria estava caminhando perto do bosque quando viu uma luz brilhante descendo dos céus. Era a Estrela Bailarina! A bailarina sorriu para Maria e convidou-a para uma dança. Maria não podia acreditar em seus olhos, seu sonho estava se tornando realidade.

On a special winter night, Maria was walking near the forest when she saw a bright light descending from the sky. It was the Ballerina Star! The ballerina smiled at Maria and invited her to dance. Maria couldn't believe her eyes; her dream was coming true.

Com passos leves, Maria e a Estrela Bailarina dançaram sob as estrelas. A música celeste embalava suas danças, e a floresta inteira parecia envolta em magia. Maria sentiu-se como se estivesse flutuando no ar, acompanhando os movimentos graciosos da estrela.

With light steps, Maria and the Ballerina Star danced under the stars. The celestial music accompanied their dance, and the entire forest seemed wrapped in magic. Maria felt as if she were floating in the air, following the star's graceful movements.

Enquanto dançavam, a Estrela Bailarina contou a Maria que ela era a guardiã da magia da dança. Todos os anos, ela escolhia uma criança apaixonada pela arte do ballet para compartilhar seu dom. Maria sentiu-se honrada por ser escolhida pela estrela e prometeu continuar dançando com todo o seu coração.

While they danced, the Ballerina Star told Maria that she was the guardian of the magic of dance. Every year, she chose a child passionate about the art of ballet to share her gift. Maria felt honored to be chosen by the star and promised to continue dancing with all her heart.

Quando a dança chegou ao fim, a Estrela Bailarina subiu novamente aos céus, transformando-se na brilhante estrela que todos admiravam. Maria olhou para o céu e sorriu, sabendo que a magia da dança sempre estaria em seu coração.

When the dance came to an end, the Ballerina Star ascended once again to the skies, transforming into the shining star that everyone admired. Maria looked up at the sky and smiled, knowing that the magic of dance would always be in her heart.

Desde aquele dia, Maria continuou a dançar com paixão e dedicação. Ela se tornou uma talentosa bailarina, encantando a todos com sua graça e habilidade. A magia da Estrela Bailarina permaneceu com ela, guiando-a em cada passo e iluminando seu caminho.

Since that day, Maria continued to dance with passion and dedication. She became a talented ballerina, enchanting everyone with her grace and skill. The magic of the Ballerina Star remained with her, guiding her in every step and illuminating her path.

A pequena cidade nunca esqueceu a noite em que Maria dançou com a Estrela Bailarina. Cada ano, no dia da apresentação especial, as crianças olhavam para o céu, procurando pela estrela mais brilhante, sabendo que a magia da dança estava viva dentro delas.

The small town never forgot the night when Maria danced with the Ballerina Star. Every year, on the day of the special performance, the children looked up at the sky, searching for the brightest star, knowing that the magic of dance was alive within them.

E assim, a lenda da Bailarina da Estrela Brilhante foi passada de geração em geração, inspirando outras meninas a seguir seus sonhos e acreditar no poder da dança. A magia da estrela continuou a brilhar nos corações de todas as bailarinas que ousavam sonhar.

And so, the legend of the Ballerina of the Shining Star was passed down from generation to generation, inspiring other girls to pursue their dreams and believe in the power of dance. The magic of the star continued to shine in the hearts of all the dancers who dared to dream.

O Sonho da Bailarina
The Ballerina's Dream

———

————————

Era uma vez uma menina chamada Sofia, que tinha um grande sonho: ser uma bailarina. Ela passava horas dançando pela casa, imitando os movimentos graciosos das bailarinas que via na televisão. Seus pés dançavam no ritmo da música, e seu coração se enchia de alegria.

Once upon a time, there was a girl named Sofia, who had a big dream: to be a ballerina. She spent hours dancing around the house, imitating the graceful movements of the ballerinas she saw on television. Her feet danced to the rhythm of the music, and her heart filled with joy.

Um dia, Sofia descobriu um anúncio sobre uma escola de ballet na cidade. Seus olhos brilharam de emoção, e ela soube que aquela era a sua chance de tornar seu sonho realidade. Ela se inscreveu na escola e começou a frequentar as aulas com entusiasmo.

One day, Sofia discovered an advertisement for a ballet school in town. Her eyes lit up with excitement, and she knew that this was her chance to make her dream come true. She enrolled in the school and started attending classes with enthusiasm.

Na escola de ballet, Sofia conheceu outras meninas que também amavam dançar. Elas formaram uma linda amizade e se ajudavam a superar os desafios das aulas. A professora, Dona Clara, era uma bailarina experiente que ensinava com carinho e dedicação.

At the ballet school, Sofia met other girls who also loved to dance. They formed a beautiful friendship and helped each other overcome the challenges of the classes. The teacher, Mrs. Clara, was an experienced ballerina who taught with love and dedication.

Sofia praticava todos os dias, aperfeiçoando seus movimentos e aprendendo novas coreografias. Ela sentia-se cada vez mais confiante e feliz quando estava no palco, dançando como uma verdadeira bailarina. Seu sonho estava se tornando realidade.

Sofia practiced every day, perfecting her movements and learning new choreographies. She felt more and more confident and happy when she was on stage, dancing like a true ballerina. Her dream was becoming a reality.

Um dia, a escola de ballet decidiu fazer uma grande apresentação para a cidade. Sofia ficou emocionada com a notícia e trabalhou ainda mais duro para dar o seu melhor. Ela sabia que aquele seria o momento de brilhar e encantar a todos com sua dança.

One day, the ballet school decided to put on a big performance for the city. Sofia was thrilled with the news and worked even harder to give her best. She knew that it would be her moment to shine and enchant everyone with her dance.

Chegou o dia da grande apresentação, e Sofia subiu no palco com o coração cheio de emoção. As luzes brilhavam, a música começou a tocar, e Sofia dançou com graça e leveza. Seus movimentos eram perfeitos, como se estivesse voando pelo ar.

The day of the grand performance arrived, and Sofia stepped onto the stage with a heart full of emotion. The lights shone, the music began to play, and Sofia danced with grace and lightness. Her movements were perfect, as if she were flying through the air.

No final da apresentação, o público irrompeu em aplausos e gritos de admiração. Sofia curvou-se em agradecimento, com lágrimas de felicidade nos olhos. Ela havia conquistado o palco, mostrando a todos que seu sonho se tornara realidade.

At the end of the performance, the audience erupted in applause and shouts of admiration. Sofia curtsied in gratitude, with tears of happiness in her eyes. She had conquered the stage, showing everyone that her dream had come true.

Desde então, Sofia continuou a dançar e a espalhar alegria através da sua arte. Ela se tornou uma inspiração para outras meninas que também sonhavam em ser bailarinas. E juntas, elas descobriram que com paixão, dedicação e acreditar em si mesmas, todos os sonhos podem se tornar realidade.

Since then, Sofia continued to dance and spread joy through her art. She became an inspiration for other girls who also dreamed of being ballerinas. And together, they discovered that with passion, dedication, and believing in themselves, all dreams can come true.

O Passo Encantado
The Enchanted Step

———

————————

Era uma vez uma menina chamada Laura, que adorava dançar. Ela sonhava em ser uma bailarina e encantar a todos com seus passos graciosos. Laura passava horas dançando pela sala de estar, imitando as bailarinas que via na televisão. Ela podia sentir a música em seu coração e a dança fluindo por todo o seu corpo.

Once upon a time, there was a girl named Laura, who loved to dance. She dreamed of being a ballerina and enchanting everyone with her graceful steps. Laura spent hours dancing around the living room, imitating the ballerinas she saw on television. She could feel the music in her heart and the dance flowing through her entire body.

Um dia, Laura descobriu um anúncio sobre uma apresentação de ballet na sua cidade. Era uma oportunidade única para crianças talentosas mostrarem seu amor pela dança. Laura sabia que essa era sua chance de brilhar. Ela se inscreveu para a audição, animada e determinada a dar o seu melhor.

One day, Laura discovered an advertisement about a ballet performance in her city. It was a unique opportunity for talented children to showcase their love for dance. Laura knew that this was her chance to shine. She signed up for the audition, excited and determined to give her best.

No dia da audição, Laura sentia-se nervosa e ansiosa. O palco estava iluminado, e a sala cheia de expectativa. Quando chegou sua vez, Laura subiu ao palco e começou a dançar. Cada passo era executado com graça e leveza, transmitindo toda a emoção que ela sentia pela dança.

On the day of the audition, Laura felt nervous and anxious. The stage was lit, and the room was full of anticipation. When her turn came, Laura stepped onto the stage and began to dance. Each step was performed with grace and lightness, conveying all the emotion she felt for dance.

Quando a música parou, a plateia explodiu em aplausos e sorrisos. Laura estava radiante de felicidade. Ela havia conquistado o coração de todos com seu talento e paixão. Laura foi selecionada para participar da apresentação de ballet e estava ansiosa para os ensaios.

When the music stopped, the audience erupted in applause and smiles. Laura was radiant with happiness. She had won the hearts of everyone with her talent and passion. Laura was selected to participate in the ballet performance and was eager for the rehearsals.

Nos ensaios, Laura encontrou outras meninas que também amavam dançar. Elas se tornaram amigas e trabalhavam juntas para aprimorar suas habilidades. A professora, Dona Beatriz, era uma bailarina experiente que as guiava com sabedoria e paciência.

During rehearsals, Laura met other girls who also loved to dance. They became friends and worked together to improve their skills. The teacher, Mrs. Beatriz, was an experienced ballerina who guided them with wisdom and patience.

À medida que os dias passavam, Laura se sentia mais confiante e segura em seu papel na apresentação. Ela treinava com dedicação, ouvindo atentamente as orientações de Dona Beatriz. Laura sabia que cada ensaio a aproximava mais de realizar seu sonho de se tornar uma bailarina.

As the days went by, Laura felt more confident and secure in her role in the performance. She trained with dedication, listening carefully to Mrs. Beatriz's guidance. Laura knew that each rehearsal brought her closer to fulfilling her dream of becoming a ballerina.

Chegou o dia da grande apresentação. O teatro estava lotado, e a expectativa pairava no ar. Laura sentia um misto de nervosismo e empolgação. Quando as cortinas se abriram, ela entrou em cena e dançou com graciosidade e paixão. Sua performance encantou a plateia, que aplaudiu de pé.

The day of the grand performance arrived. The theater was packed, and anticipation filled the air. Laura felt a mix of nervousness and excitement. When the curtains opened, she took the stage and danced with grace and passion. Her performance enchanted the audience, who applauded standing up.

No final da apresentação, Laura sorriu e curvou-se, agradecendo a todos pelo carinho e apoio. Ela sabia que seu sonho se tornara realidade naquele momento mágico. Laura continuou a dançar e a espalhar alegria através de sua arte, inspirando outras meninas a seguir seus próprios sonhos e acreditar na magia que a dança pode trazer.

At the end of the performance, Laura smiled and curtsied, thanking everyone for their love and support. She knew that her dream had come true in that magical moment. Laura continued to dance and spread joy through her art, inspiring other girls to pursue their own dreams and believe in the magic that dance can bring.

Clara

Clara

Era uma vez uma menina chamada Clara que vivia em uma pequena cidade. Ela era uma garotinha graciosa, sempre saltitando e dançando por todos os lugares. Clara tinha um sonho especial: ela queria ser uma bailarina. Desde muito pequena, ela ficava fascinada ao assistir às bailarinas dançando no palco, com seus tutus brilhantes e passos delicados.

Once upon a time, there was a girl named Clara who lived in a small town. She was a graceful little girl, always skipping and dancing everywhere. Clara had a special dream: she wanted to be a ballerina. From a very young age, she was fascinated by watching the dancers on stage, with their shiny tutus and delicate steps.

Clara decidiu que era hora de fazer algo para realizar seu sonho. Ela se matriculou em uma escola de ballet na cidade e começou a ter aulas todas as semanas. Clara adorava aprender os movimentos elegantes e ouvir a música que acompanhava a dança. Ela se dedicava com afinco, sabendo que cada passo a aproximava mais do seu sonho de se tornar uma bailarina.

Clara decided it was time to do something to make her dream come true. She enrolled in a ballet school in town and started taking classes every week. Clara loved learning the graceful movements and listening to the music that accompanied the dance. She worked hard, knowing that each step brought her closer to her dream of becoming a ballerina.

Em sua escola de ballet, Clara conheceu outras meninas que também compartilhavam o mesmo amor pela dança. Elas se tornaram grandes amigas e praticavam juntas todos os dias. Clara sentia-se inspirada por suas colegas e pela professora, que a incentivavam a nunca desistir e acreditar em si mesma.

At her ballet school, Clara met other girls who also shared the same love for dance. They became great friends and practiced together every day. Clara felt inspired by her classmates and the teacher, who encouraged her to never give up and believe in herself.

Um dia, a escola de ballet decidiu realizar uma apresentação especial para a cidade. Todos os alunos teriam a oportunidade de mostrar o que aprenderam e dançar no palco. Clara estava emocionada com a notícia e dedicou-se ainda mais aos ensaios.

One day, the ballet school decided to put on a special performance for the town. All the students would have the opportunity to showcase what they had learned and dance on stage. Clara was thrilled with the news and dedicated herself even more to the rehearsals.

Chegou o dia da grande apresentação. O teatro estava cheio de pessoas ansiosas para ver as jovens bailarinas em ação. Clara vestiu seu lindo tutu rosa e subiu ao palco com o coração acelerado. A música começou a tocar, e Clara começou a dançar com graciosidade e elegância.

The day of the grand performance arrived. The theater was filled with people eager to see the young ballerinas in action. Clara put on her beautiful pink tutu and stepped onto the stage with a racing heart. The music began to play, and Clara started to dance with grace and elegance.

Clara sentia-se como se estivesse voando. Ela executava cada movimento com perfeição, transmitindo sua paixão pela dança. O público estava encantado com sua apresentação, aplaudindo e sorrindo. Clara sentiu-se realizada, pois seu sonho de se tornar uma bailarina estava se tornando realidade.

Clara felt as if she were flying. She performed each movement flawlessly, conveying her passion for dance. The audience was captivated by her performance, applauding and smiling. Clara felt fulfilled because her dream of becoming a ballerina was coming true.

Após a apresentação, Clara recebeu muitos elogios e abraços calorosos. Ela sabia que sua jornada como bailarina estava apenas começando. Clara continuou a praticar e aperfeiçoar sua arte, sempre lembrando-se da alegria que a dança trazia para sua vida.

After the performance, Clara received many compliments and warm hugs. She knew that her journey as a ballerina was just beginning. Clara continued to practice and refine her art, always remembering the joy that dance brought to her life.

Clara descobriu que, além de ser uma bailarina talentosa, ela também podia inspirar outras pessoas a seguirem seus sonhos. Ela compartilhava sua paixão pela dança com crianças em sua comunidade, mostrando-lhes que, com dedicação e perseverança, todos podem alcançar seus objetivos.

Clara discovered that, in addition to being a talented ballerina, she could also inspire others to follow their dreams. She shared her passion for dance with children in her community, showing them that with dedication and perseverance, everyone can achieve their goals.

E assim, Clara continuou sua jornada como bailarina, espalhando alegria e encantamento por onde passava. Ela sabia que a dança a levava a um mundo mágico, onde seus sonhos se tornavam realidade, e ela estava determinada a dançar e viver sua paixão para sempre.

And so, Clara continued her journey as a ballerina, spreading joy and enchantment wherever she went. She knew that dance took her to a magical world, where her dreams came true, and she was determined to dance and live her passion forever.

A Estrelinha Bailarina
The Little Star Ballerina

———

————————

Era uma vez uma estrela brilhante chamada Estelinha. Ela morava no céu e sonhava em ser uma bailarina. Todas as noites, enquanto as outras estrelas iluminavam o céu, Estelinha dançava e rodopiava, imaginando-se em um lindo palco de ballet.

Once upon a time, there was a bright star named Little Stella. She lived in the sky and dreamed of being a ballerina. Every night, while the other stars illuminated the sky, Little Stella danced and twirled, imagining herself on a beautiful ballet stage.

Um dia, enquanto Estelinha dançava animadamente, ela foi surpreendida por uma fada mágica. A fada tinha asas reluzentes e um sorriso encantador. Ela disse a Estelinha que seu desejo de se tornar uma bailarina estava prestes a se realizar.

One day, while Little Stella danced happily, she was surprised by a magical fairy. The fairy had shimmering wings and a charming smile. She told Little Stella that her wish to become a ballerina was about to come true.

A fada tocou suavemente Estelinha com sua varinha mágica e, num piscar de olhos, transformou-a em uma bailarina de porcelana. Estelinha estava radiante e excitada com sua nova forma. Ela agora tinha um lindo tutu rosa, sapatilhas de ballet e um gracioso coque no cabelo.

The fairy gently touched Little Stella with her magic wand, and in the blink of an eye, she turned her into a porcelain ballerina. Little Stella was radiant and excited about her new form. She now had a beautiful pink tutu, ballet slippers, and a graceful bun in her hair.

Estelinha começou a explorar seu novo mundo como bailarina de porcelana. Ela dançava com movimentos delicados e fluídos, encantando a todos com sua graça. Crianças e adultos admiravam sua beleza e habilidade, aplaudindo e sorrindo a cada passo que ela dava.

Little Stella began to explore her new world as a porcelain ballerina. She danced with delicate and fluid movements, enchanting everyone with her grace. Children and adults admired her beauty and skill, applauding and smiling at every step she took.

Mas Estelinha sentia falta de algo. Ela queria ser uma bailarina de verdade, sentir o chão sob seus pés e mover-se com liberdade. Ela desejava experimentar a emoção de dançar como um ser vivo.

But Little Stella felt something was missing. She wanted to be a real ballerina, feel the ground beneath her feet, and move with freedom. She longed to experience the thrill of dancing like a living being.

A fada, vendo a tristeza nos olhos de Estelinha, decidiu ajudá-la mais uma vez. Ela lançou um feitiço especial, transformando Estelinha em uma menina de verdade. Agora, ela podia sentir o vento em seu rosto e dar passos reais de ballet.

The fairy, seeing the sadness in Little Stella's eyes, decided to help her once again. She cast a special spell, turning Little Stella into a real girl. Now, she could feel the wind on her face and take real ballet steps.

Estelinha estava radiante de alegria. Ela dançava com uma nova energia, pulando, girando e saltando com graciosidade. A fada olhava com orgulho, sabendo que Estelinha havia realizado seu sonho de se tornar uma bailarina de verdade.

Little Stella was radiant with joy. She danced with a new energy, leaping, twirling, and jumping with grace. The fairy watched with pride, knowing that Little Stella had fulfilled her dream of becoming a real ballerina.

Estelinha dançou em muitos palcos, espalhando alegria e encantamento por onde passava. Ela inspirava outras meninas a seguir seus sonhos e acreditarem em sua própria magia. Estelinha sempre lembrava a todos que, com determinação e paixão, todos os sonhos podem se tornar realidade.

Little Stella danced on many stages, spreading joy and enchantment wherever she went. She inspired other girls to follow their dreams and believe in their own magic. Little Stella always reminded everyone that, with determination and passion, all dreams can come true.

A Menina das Sapatilhas Mágicas
The Girl with the Magic Ballet Shoes

———

———

Era uma vez uma menina chamada Sofia, que adorava dançar ballet. Ela passava horas praticando seus passos e sonhava em se tornar uma bailarina profissional. Um dia, ao explorar o sótão da sua casa, Sofia encontrou uma caixa empoeirada que continha um par de sapatilhas de ballet.

Once upon a time, there was a girl named Sofia, who loved to dance ballet. She spent hours practicing her steps and dreamed of becoming a professional ballerina. One day, while exploring the attic of her house, Sofia found a dusty box that contained a pair of ballet shoes.

As sapatilhas tinham um brilho especial e uma aura mágica. Sofia sabia que eram diferentes de qualquer outro par que já tinha visto. Curiosa e animada, ela decidiu experimentá-las. Assim que colocou as sapatilhas, Sofia sentiu uma energia mágica percorrer todo o seu corpo.

The ballet shoes had a special glow and a magical aura. Sofia knew they were different from any other pair she had ever seen. Curious and excited, she decided to try them on. As soon as she put on the shoes, Sofia felt a magical energy coursing through her entire body.

Sofia começou a dançar, e algo mágico aconteceu. Seus passos eram mais leves e graciosos do que nunca. Ela girava e saltava pelo chão, sentindo-se como uma verdadeira bailarina em um palco encantado. As sapatilhas a guiavam em cada movimento, como se tivessem vida própria.

Sofia began to dance, and something magical happened. Her steps were lighter and more graceful than ever. She twirled and leaped across the floor, feeling like a true ballerina on an enchanted stage. The ballet shoes guided her in every movement, as if they had a life of their own.

À medida que Sofia dançava, a magia das sapatilhas se espalhava pelo ambiente. As flores dançavam em sincronia, as borboletas as acompanhavam em seu voo gracioso. O mundo ao seu redor parecia transformado, cheio de cores vibrantes e melodias encantadoras.

As Sofia danced, the magic of the ballet shoes spread throughout the surroundings. The flowers danced in synchrony, and butterflies accompanied her in their graceful flight. The world around her seemed transformed, full of vibrant colors and enchanting melodies.

Sofia percebeu que suas sapatilhas mágicas eram um presente especial, concedido a ela para espalhar alegria e encantamento através da dança. Ela sabia que não podia guardar esse segredo só para si. Assim, Sofia decidiu compartilhar sua dança mágica com os outros.

Sofia realized that her magic ballet shoes were a special gift, granted to her to spread joy and enchantment through dance. She knew she couldn't keep this secret to herself. So, Sofia decided to share her magical dance with others.

Ela organizou uma apresentação surpresa no parque da cidade. Convidou crianças, adultos e até animais para assistir ao seu espetáculo. Quando Sofia começou a dançar, todos ficaram maravilhados com sua graça e habilidade. O parque se transformou em um palco mágico, cheio de risos, aplausos e admiração.

She organized a surprise performance in the city park. She invited children, adults, and even animals to watch her show. When Sofia started to dance, everyone was amazed by her grace and skill. The park transformed into a magical stage, filled with laughter, applause, and admiration.

Sofia continuou a compartilhar sua dança mágica, levando alegria a hospitais, escolas e asilos. Ela descobriu que a dança tinha o poder de curar corações e inspirar sonhos. Seu coração se enchia de felicidade ao ver o sorriso no rosto de cada pessoa que testemunhava sua dança.

Sofia continued to share her magical dance, bringing joy to hospitals, schools, and nursing homes. She discovered that dance had the power to heal hearts and inspire dreams. Her heart filled with happiness as she saw the smiles on the faces of each person who witnessed her dance.

E assim, Sofia seguiu sua jornada como a menina das sapatilhas mágicas, espalhando encanto e inspiração por onde passava. Ela sempre lembrava a todos que a verdadeira magia está em acreditar em si mesmo e compartilhar o amor pela arte com o mundo.

And so, Sofia continued her journey as the girl with the magic ballet shoes, spreading enchantment and inspiration wherever she went. She always reminded everyone that the true magic lies in believing in oneself and sharing the love for art with the world.

A Bailarina Sonhadora
The Dreaming Ballerina

―――

――――――

Era uma vez uma menina chamada Clara, que tinha um grande amor pelo ballet. Ela sonhava em dançar nos palcos, deslizando suavemente com sapatilhas cor-de-rosa. Todos os dias, Clara se imaginava realizando movimentos graciosos e encantando o público com sua dança.

Once upon a time, there was a girl named Clara who had a great love for ballet. She dreamed of dancing on stage, gliding gracefully with pink ballet slippers. Every day, Clara imagined herself performing graceful movements and enchanting the audience with her dance.

Clara frequentava aulas de ballet e aprendia os passos com muita dedicação. Ela ensaiava em casa, praticando seus pliés, tendus e piruetas. Clara sabia que o ballet exigia esforço e perseverança, mas estava disposta a enfrentar todos os desafios para realizar seu sonho de ser uma bailarina.

Clara attended ballet classes and learned the steps with great dedication. She rehearsed at home, practicing her pliés, tendus, and pirouettes. Clara knew that ballet required effort and perseverance, but she was willing to face all the challenges to fulfill her dream of becoming a ballerina.

Um dia, Clara ouviu falar de uma audição para uma importante companhia de ballet. Seu coração se encheu de empolgação. Ela sabia que essa era uma oportunidade única de mostrar seu talento e conquistar seu lugar no mundo da dança. Clara se preparou intensamente para a audição, treinando incansavelmente seus movimentos e aprimorando sua técnica.

One day, Clara heard about an audition for a prestigious ballet company. Her heart filled with excitement. She knew this was a unique opportunity to showcase her talent and secure her place in the world of dance. Clara prepared intensely for the audition, training tirelessly on her movements and refining her technique.

Chegou o dia da audição e Clara estava nervosa, mas determinada. Ela vestiu seu lindo collant e sapatilhas de ballet e entrou na sala de ensaios. A música começou a tocar e Clara começou a dançar. Seus movimentos eram fluídos e cheios de emoção, demonstrando toda a paixão que ela tinha pela dança.

The day of the audition arrived, and Clara was nervous but determined. She put on her beautiful leotard and ballet slippers and entered the rehearsal room. The music started playing, and Clara began to dance. Her movements were fluid and filled with emotion, showcasing all the passion she had for dance.

Quando a música parou, Clara curvou-se, ofegante e com um sorriso no rosto. A sala encheu-se de aplausos e elogios. Clara havia conquistado o coração dos jurados com sua bela apresentação. Ela foi selecionada para integrar a companhia de ballet e realizar seu sonho de dançar profissionalmente.

When the music stopped, Clara bowed, breathless and with a smile on her face. The room filled with applause and praise. Clara had won the hearts of the judges with her beautiful performance. She was selected to join the ballet company and fulfill her dream of dancing professionally.

A partir desse dia, Clara mergulhou de cabeça no mundo do ballet. Ela ensaiava arduamente, aprendia novas coreografias e se apresentava em grandes palcos. Clara sentia-se realizada a cada passo que dava, compartilhando sua paixão pela dança com o mundo.

From that day on, Clara immersed herself in the world of ballet. She rehearsed diligently, learned new choreographies, and performed on grand stages. Clara felt fulfilled with every step she took, sharing her passion for dance with the world.

Clara sabia que o ballet não era apenas sobre movimentos graciosos, mas também sobre disciplina, trabalho em equipe e superação. Ela enfrentou desafios e obstáculos ao longo do caminho, mas nunca desistiu. Clara sempre se lembrava de que o verdadeiro sucesso está em seguir seus sonhos com determinação e amor.

Clara knew that ballet was not just about graceful movements but also about discipline, teamwork, and overcoming challenges. She faced challenges and obstacles along the way, but she never gave up. Clara always remembered that true success lies in pursuing your dreams with determination and love.

E assim, Clara se tornou uma bailarina admirada e respeitada. Ela encantava a todos com sua dança cheia de emoção e graça.

Clara inspirava outras meninas a perseguirem seus sonhos, mostrando-lhes que, com dedicação e paixão, é possível alcançar o que desejam.

And so, Clara became an admired and respected ballerina. She enchanted everyone with her dance full of emotion and grace. Clara inspired other girls to pursue their dreams, showing them that with dedication and passion, it is possible to achieve what they desire.

Clara continuou a dançar, espalhando alegria e encantamento por onde passava. Ela sabia que a dança era sua verdadeira paixão e que nunca deixaria de perseguir seus sonhos. E assim, a bailarina sonhadora dançou felicidade em cada palco, deixando um rastro de inspiração e magia por onde passava.

Clara continued to dance, spreading joy and enchantment wherever she went. She knew that dance was her true passion and that she would never stop pursuing her dreams. And so, the dreaming ballerina danced happiness on every stage, leaving a trail of inspiration and magic wherever she went.

A Menina das Sapatilhas Mágicas
The Girl with the Magic Ballet Shoes

———

———————

Era uma vez uma menina chamada Sofia, que adorava dançar ballet. Ela passava horas praticando seus passos e sonhava em se tornar uma bailarina profissional. Um dia, ao explorar o sótão da sua casa, Sofia encontrou uma caixa empoeirada que continha um par de sapatilhas de ballet.

Once upon a time, there was a girl named Sofia, who loved to dance ballet. She spent hours practicing her steps and dreamed of becoming a professional ballerina. One day, while exploring the attic of her house, Sofia found a dusty box that contained a pair of ballet shoes.

As sapatilhas tinham um brilho especial e uma aura mágica. Sofia sabia que eram diferentes de qualquer outro par que já tinha visto. Curiosa e animada, ela decidiu experimentá-las. Assim que colocou as sapatilhas, Sofia sentiu uma energia mágica percorrer todo o seu corpo.

The ballet shoes had a special glow and a magical aura. Sofia knew they were different from any other pair she had ever seen. Curious and excited, she decided to try them on. As soon as she put on the shoes, Sofia felt a magical energy coursing through her entire body.

Sofia começou a dançar, e algo mágico aconteceu. Seus passos eram mais leves e graciosos do que nunca. Ela girava e saltava pelo chão, sentindo-se como uma verdadeira bailarina em um palco encantado. As sapatilhas a guiavam em cada movimento, como se tivessem vida própria.

Sofia began to dance, and something magical happened. Her steps were lighter and more graceful than ever. She twirled and leaped across the floor, feeling like a true ballerina on an enchanted stage. The ballet shoes guided her in every movement, as if they had a life of their own.

À medida que Sofia dançava, a magia das sapatilhas se espalhava pelo ambiente. As flores dançavam em sincronia, as borboletas as acompanhavam em seu voo gracioso. O mundo ao seu redor parecia transformado, cheio de cores vibrantes e melodias encantadoras.

As Sofia danced, the magic of the ballet shoes spread throughout the surroundings. The flowers danced in synchrony, and butterflies accompanied her in their graceful flight. The world around her seemed transformed, full of vibrant colors and enchanting melodies.

Sofia percebeu que suas sapatilhas mágicas eram um presente especial, concedido a ela para espalhar alegria e encantamento através da dança. Ela sabia que não podia guardar esse segredo só para si. Assim, Sofia decidiu compartilhar sua dança mágica com os outros.

Sofia realized that her magic ballet shoes were a special gift, granted to her to spread joy and enchantment through dance. She knew she

couldn't keep this secret to herself. So, Sofia decided to share her
magical dance with others.

Ela organizou uma apresentação surpresa no parque da cidade. Convidou crianças, adultos e até animais para assistir ao seu espetáculo. Quando Sofia começou a dançar, todos ficaram maravilhados com sua graça e habilidade. O parque se transformou em um palco mágico, cheio de risos, aplausos e admiração.

She organized a surprise performance in the city park. She invited children, adults, and even animals to watch her show. When Sofia started to dance, everyone was amazed by her grace and skill. The park transformed into a magical stage, filled with laughter, applause, and admiration.

Sofia continuou a compartilhar sua dança mágica, levando alegria a hospitais, escolas e asilos. Ela descobriu que a dança tinha o poder de curar corações e inspirar sonhos. Seu coração se enchia de felicidade ao ver o sorriso no rosto de cada pessoa que testemunhava sua dança.

Sofia continued to share her magical dance, bringing joy to hospitals, schools, and nursing homes. She discovered that dance had the power to heal hearts and inspire dreams. Her heart filled with happiness as she saw the smiles on the faces of each person who witnessed her dance.

E assim, Sofia seguiu sua jornada como a menina das sapatilhas mágicas, espalhando encanto e inspiração por onde passava. Ela sempre lembrava a todos que a verdadeira magia está em acreditar em si mesmo e compartilhar o amor pela arte com o mundo.

And so, Sofia continued her journey as the girl with the magic ballet shoes, spreading enchantment and inspiration wherever she went. She always reminded everyone that the true magic lies in believing in oneself and sharing the love for art with the world.

A Bailarina e a Estrela
The Ballerina and the Star

———

————————

Era uma vez uma linda bailarina chamada Mariana. Ela tinha olhos brilhantes como estrelas e adorava dançar ballet. Mariana passava horas no estúdio, praticando seus passos e movimentos com dedicação e paixão. Seu maior sonho era dançar no palco e encantar o mundo com sua arte.

Once upon a time, there was a beautiful ballerina named Mariana. She had starry eyes and loved to dance ballet. Mariana spent hours in the studio, practicing her steps and movements with dedication and passion. Her biggest dream was to dance on stage and enchant the world with her art.

Uma noite, enquanto Mariana praticava seus passos, ela viu uma estrela cadente atravessar o céu. Ela fechou os olhos e fez um pedido especial: "Eu quero que minha dança brilhe como uma estrela e toque os corações de todos que a vejam".

One night, while Mariana was practicing her steps, she saw a shooting star streak across the sky. She closed her eyes and made a special wish: "I want my dance to shine like a star and touch the hearts of everyone who sees it."

Naquela mesma noite, Mariana adormeceu e teve um sonho mágico. Ela se encontrava em um mundo cheio de estrelas brilhantes. Uma estrela especial se aproximou dela e disse: "Mariana, eu sou uma estrela bailarina e vim realizar o seu desejo. Estou aqui para guiá-la em sua jornada."

That same night, Mariana fell asleep and had a magical dream. She found herself in a world filled with bright stars. A special star approached her and said, "Mariana, I am a ballerina star, and I have come to grant your wish. I am here to guide you on your journey."

A estrela bailarina levou Mariana para um reino encantado, onde tudo brilhava e dançava ao som de uma melodia celestial. Ali, Mariana conheceu outras estrelas bailarinas, cada uma com seu próprio brilho e estilo único. Elas ensinaram a Mariana passos mágicos e segredos para tornar sua dança ainda mais especial.

The ballerina star took Mariana to an enchanted kingdom, where everything sparkled and danced to the sound of a celestial melody. There, Mariana met other ballerina stars, each with their own shine and unique style. They taught Mariana magical steps and secrets to make her dance even more special.

Com a orientação das estrelas bailarinas, Mariana voltou ao mundo real cheia de confiança e determinação. Ela sabia que agora tinha o brilho das estrelas dentro de si. Mariana praticava seus passos todos os dias, dedicando-se a aperfeiçoar sua dança e transmitir sua luz a todos que a assistissem.

With the guidance of the ballerina stars, Mariana returned to the real world full of confidence and determination. She knew that she now had the sparkle of the stars inside her. Mariana practiced her steps every day, dedicating herself to perfecting her dance and spreading her light to everyone who watched her.

Chegou o dia tão esperado: a grande apresentação de Mariana. O teatro estava cheio de expectativa, e Mariana estava pronta para brilhar. Ao subir no palco, ela sentiu a energia das estrelas bailarinas a envolverem. Sua dança era mágica, cheia de graça e emoção.

The long-awaited day arrived: Mariana's big performance. The theater was filled with anticipation, and Mariana was ready to shine. As she stepped onto the stage, she felt the energy of the ballerina stars surrounding her. Her dance was magical, full of grace and emotion.

Mariana dançou com paixão e encantou a todos. Seus movimentos fluíam como raios de estrelas, iluminando o palco e aquecendo os corações do público. Ao final da apresentação, Mariana foi aplaudida de pé, com sorrisos radiantes e olhos cheios de admiração.

Mariana danced with passion and enchanted everyone. Her movements flowed like rays of stars, illuminating the stage and warming the hearts of the audience. At the end of the performance, Mariana received a standing ovation, with radiant smiles and eyes full of admiration.

Mariana sabia que suas sapatilhas de bailarina e seu brilho interior a haviam guiado para realizar seu sonho. Ela agradeceu às estrelas bailarinas por todo o apoio e inspiração. Mariana continuou a dançar, espalhando luz e alegria por onde passava, sempre com o brilho das estrelas em seu coração.

Mariana knew that her ballet shoes and her inner sparkle had guided her to fulfill her dream. She thanked the ballerina stars for all their support and inspiration. Mariana continued to dance, spreading light and joy wherever she went, always with the sparkle of the stars in her heart.

Maria

Maria

———

—————

Era uma vez uma linda menina chamada Maria. Desde muito pequena, Maria sonhava em se tornar uma bailarina. Ela adorava assistir a apresentações de ballet e se encantava com a elegância e a graça dos bailarinos. Maria passava horas dançando pela casa, imitando os passos que via nos vídeos e imaginando-se em um palco de ballet.

Once upon a time, there was a beautiful girl named Maria. From a very young age, Maria dreamed of becoming a ballerina. She loved watching ballet performances and was enchanted by the elegance and grace of the dancers. Maria spent hours dancing around the house, imitating the steps she saw in videos and imagining herself on a ballet stage.

Certo dia, enquanto Maria dançava em seu quarto, uma fada apareceu diante dela. A fada tinha asas brilhantes e um sorriso encantador. Ela disse a Maria que tinha visto seu amor pela dança e estava ali para ajudá-la a realizar seu sonho de ser uma bailarina.

One day, while Maria was dancing in her room, a fairy appeared before her. The fairy had shimmering wings and a charming smile. She told Maria that she had seen her love for dance and was there to help her fulfill her dream of becoming a ballerina.

A fada tocou suavemente Maria com sua varinha mágica, e num piscar de olhos, ela se transformou em uma linda bailarina. Maria estava radiante e emocionada com sua nova forma. Ela agora tinha um belo tutu cor-de-rosa, sapatilhas de ballet e um coque elegante em seu cabelo.

The fairy gently touched Maria with her magic wand, and in the blink of an eye, she transformed into a beautiful ballerina. Maria was radiant and thrilled with her new form. She now had a beautiful pink tutu, ballet slippers, and an elegant bun in her hair.

Maria começou a explorar seu novo mundo como bailarina. Ela dançava com movimentos graciosos e fluídos, encantando a todos com sua beleza e habilidade. Maria se apresentava em pequenos palcos, para sua família e amigos, que ficavam maravilhados com seu talento.

Maria began to explore her new world as a ballerina. She danced with graceful and fluid movements, enchanting everyone with her beauty and skill. Maria performed on small stages, for her family and friends, who were amazed by her talent.

Um dia, Maria ouviu falar de uma audição para uma famosa companhia de ballet. Ela sabia que essa era sua chance de mostrar seu talento ao mundo. Determinada, Maria se preparou incansavelmente para a audição, praticando seus passos e aprimorando sua técnica.

One day, Maria heard about an audition for a famous ballet company. She knew that this was her chance to showcase her talent to the world. Determined, Maria prepared tirelessly for the audition, practicing her steps and refining her technique.

Chegou o dia da audição, e Maria estava nervosa, mas confiante. Ela entrou no palco com graça e elegância, dançando com toda a sua paixão. Seus movimentos eram perfeitos, transmitindo emoção e encantamento. Ao final da audição, Maria foi aplaudida de pé e recebeu um convite para integrar a companhia de ballet.

The day of the audition arrived, and Maria was nervous but confident. She stepped onto the stage with grace and elegance, dancing with all her passion. Her movements were perfect, conveying emotion and enchantment. At the end of the audition, Maria received a standing ovation and an invitation to join the ballet company.

Maria realizou seu sonho de ser uma bailarina profissional. Ela se apresentava em grandes teatros, encantando plateias de todo o mundo. Maria sabia que a dança era sua verdadeira paixão, e ela transmitia sua alegria e sua emoção a cada movimento.

Maria fulfilled her dream of being a professional ballerina. She performed in grand theaters, enchanting audiences from all over the world. Maria knew that dance was her true passion, and she conveyed her joy and emotions with every movement.

E assim, Maria continuou sua jornada como uma bailarina encantada. Ela inspirava outras meninas a seguirem seus sonhos e acreditarem em sua própria magia. Maria sempre lembrava a todos que, com determinação e paixão, todos os sonhos podem se tornar realidade.

And so, Maria continued her journey as an enchanted ballerina. She inspired other girls to follow their dreams and believe in their own magic. Maria always reminded everyone that, with determination and passion, all dreams can come true.

Ingram Content Group UK Ltd.
Milton Keynes UK
UKHW020804190723
425424UK00017B/274